D0610144

Relations

Éditions de R. Tousaw
?
Tel. ?
Saint-Hyacinthe (Québec)
?
Tél. (514) ?

Typographie électronique

Composition ?
?
Saint-Hubert (Québec)
Tél. (514) ?

Impression

?

Dépôt légal

Dépôt légal — 4ᵉ trimestre 1995
Bibliothèque ?
Bibliothèque nationale du Canada

ISBN 2-980078-57-6

Éditeur:

Éditions de la Paix, enr.,
Jean-Paul Tessier
125, Lussier
Saint-Alphonse-de-Granby, (Québec)
J0E 2A0
Tél.: (514) 375-4765

Typographie électronique:

CopieBel Enr.
253, Brébeuf
Beloeil, (Québec)
Tél.: (514) 464-1397

Impression:

Payette et Simms, St-Lambert

Imprimé au Canada

Dépôt légal 4e trimestre 1989
Bibliothèque Nationale du Québec
Bibliothèque Nationale du Canada

ISBN 2-9800785-7-3

Éditions de la Paix

Aventures

Gilles André Pelletier

Au fond de mon garde-robe se cache un petit poilu nommé **GAP**.
Lorsque je parviens à l'attraper, je lui demande gentiment de me raconter une histoire.
Gap me regarde alors d'un air triste, car il est incapable de parler. Une grosse larme glisse de ses yeux et tombe à mes pieds.
Lorsqu'elle touche le plancher, cette larme éclate et il en sort une histoire.

MARC-ANDRÉ PLASSE,
16 ans, est né à Acton Vale.

Il étudie en cinquième année secondaire à la polyvalente Marie-Rivier de Drummondville. Même s'il désire devenir médecin, il ambitionne aussi de faire carrière dans le dessin, spécialement la création de bandes dessinées.

Il a déjà créé la page couverture du roman **LE RIDEAU DE SA VIE** ainsi que les illustrations des Nomades, volumes III et IV parus aux Editions de la Paix (1989). Il a gagné trois fois le concours régional de dessin des Caisses Populaires Desjardins. Ses talents de dessinateur lui réservent un bel avenir en perspectives.

Les Nomades

La Traversée

GAP

1

L'arrivée

Les trois nomades ont quitté l'animalerie à la recherche des enfants qui les aimeront et les nommeront.

Après quelques aventures, ils rencontrent le pierre garin. C'est un oiseau blanc à casquette noire de la famille des mouettes.

— Des nuages, leur dit-il, je vois tout le chemin autour du Grand lac. Vous n'arriverez jamais à la ville avant l'hiver.

Accompagnés du pierre garin, les cobayes retournent donc passer l'hiver à l'animalerie.

En route, une pluie glacée les surprend.

Le chou bleu pâle autour du cou de Pantoufle pend dans son dos.

Des mottes de boue se mêlent avec ses taches brunes.

La petite douze-25 se fait éclabousser par une automobile. Sa fourrure n'est plus très blanche.

Le pierre garin, lui, n'en souffre pas trop, car il est un oiseau habitué aux bords de l'eau.

La fourrure de un-3 se détrempe. Le roux foncé devient presque noir d'humidité. La rosette colle en couettes à son épaule droite.

La cheffe des nomades traîne derrière les autres.

Lorsque les cobayes et le pierre garin atteignent enfin l'animalerie, il fait nuit.

Les fenêtres sont noires.

Pantoufle doit cogner longtemps à la porte de l'entremurs avant d'entendre quelqu'un bouger.

Une clé tourne dans la serrure.

La porte s'ouvre lentement.

L'éclat d'une lampe de poche les éblouit.

— Qu ... qui va là! demande une haute voix qui se voudrait effrayante.

Le bout d'un museau blanc apparaît, suivi d'une tête coiffée d'un casque de métal d'où pendent quelques fils métalliques.

— Mes chers amis! s'écrie le rat lorsqu'il reconnaît leurs visages épuisés. Entrez! Soyez les bienvenus! ... Mais vous êtes trempés! Venez, je vous prépare un bon repas chaud. Vous sécherez et me raconterez vos aventures.

Mais un-3 passe tout droit.

Le rat, en robe de chambre verte, invite les visiteurs à se mettre à l'aise dans ses appartements.

Pantoufle suit la cheffe des nomades.

Lorsqu'il parvient à la rattraper, elle entre dans la grande salle de l'animalerie.

Le baril dans lequel vivaient les cobayes gît sur le côté, vide.

— Les gens du laboratoire ont dû venir les chercher, murmure Pantoufle. J'ai reconnu leur auto qui m'a presque frappé le soir de notre départ. Elle était blanche.

Un-3 frissonne.

Larmes aux yeux, elle se tourne vers le cobaye.

— J'ai échoué, Pantoufle. J'ai abandonné les autres cobayes aux gens du laboratoire. Je vous ai fait quitter le baril à la recherche des enfants et je ne les ai pas trouvés. Je suis une bonne à rien.

— Mais non! s'écrie Pantoufle. Tu as fait ton possible ... et de toute façon tu nous as sauvés du laboratoire. C'est déjà une victoire. Allez. Tu es fatiguée de ton voyage. Demain l'avenir te semblera moins sombre.

Le cobaye entraîne doucement un-3 vers les appartements du rat.

— Vous pouvez rester ici avec moi, leur dit le rat en les voyant arriver. Nous avons assez de nourriture pour nous tenir durant tout l'hiver. Au printemps, vous reprendrez vos recherches pour trouver les enfants.

Les jours suivants, un-3 paresse.

On dirait qu'elle a tout oublié des enfants, de leur amour et des noms propres.

La cobaye dort jusqu'à midi, traînasse toute la journée en chaussons de laine que lui a prêtés le rat et se couche tôt, avant le soleil.

Parfois, la nuit, elle se lève et va se réfugier au fond du baril renversé, où elle pousse de longs soupirs.

Ses amis se demandent comment la sortir de son abattement

2

Le berlingot

Quelques jours après le retour des nomades à l'animalerie, Pantoufle invite un-3 à traînasser avec lui sur la pelouse derrière la maison.

Là, sur la plage, la cobaye aperçoit un berlingot de lait vide couché sur le coté.

C'est un deux-litres de carton vert, blanc et rouge de marque Beaulait.

— Comment trouves-tu notre voilier? demande Pantoufle d'un air détaché.

— Qu'est-ce que vous comptez faire d'un voilier? demande un-3.

— Traverser le Grand Lac! Les enfants se trouvent de l'autre bord!

A l'arrière, le côté supérieur du berlingot a été découpé, replié et renfoncé pour former le mur de la cabine.

La petite douze-25, debout sur le toit, attache sur le mat une voile taillée dans un foulard de soie rouge.

Le pierre garin tient le gouvernail en place. Le rat, debout sur la pelouse, le fixe à l'arrière du berlingot.

— Vous avez l'intention de traverser le Grand Lac dans un berlingot de lait? demande un-3.

— C'est du carton ciré à l'épreuve de l'eau, affirme Pantoufle.

— La traversée devrait se faire assez bien, ajoute le pierre garin, à condition d'éviter

8

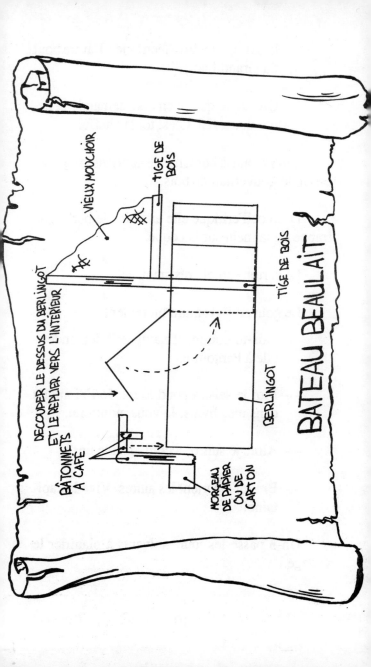

BATEAU BEAULAIT

DÉCOUPER LE DESSUS DU BERLINGOT ET LE REPLIER VERS L'INTÉRIEUR

VIEUX MOUCHOIR

TIGE DE BOIS

TIGE DE BOIS

BERLINGOT

BÂTONNETS À CAFÉ

MORCEAU DE PAPIER OU DE CARTON

le barrage hydro-électrique à l'autre bout du Grand Lac.

— Qu'est-ce que tu en dis? demande la petite douze-25. C'est toi la cheffe.

Un-3 monte à bord, met le nez dans la cabine, essaie le gouvernail de bois.

D'un oeil critique elle examine le berlingot, frappe de la main sur la coque.

Le carton semble résistant.

Le goût de l'aventure lui revient.

— Sais-tu comment naviguer? demande-t-elle à Pantoufle.

— Moi je sais, répond le rat. Je l'ai appris dans mes livres. Je vous montrerai.

— Alors je suis d'accord, décide un-3.

— Bravo! s'écrient les autres. Vive la capitaine!

Un-3 passe les jours suivants à planifier le voyage.

La cabine se remplit de nourriture, de vêtements de rechange, de petits gilets de sauvetage et de cordes.

Les nomades amènent tout ce qu'ils auront besoin pour un voyage de plusieurs jours.

Le matin de l'appareillage, le rat se rend jusqu'au bord de la pelouse pour leur souhaiter un bon voyage.

— Il y a quelque chose que je dois vous dire. Le soir j'écoute parfois chanter les ouaouarons. D'étranges histoires s'y racontent sur l'amphigouri.

— Le quoi? demande un-3.

La cheffe est occupée à sangler deux rames sur le toit de la cabine.

— L'amphigouri. D'après les chants, il vit au fond du Grand Lac. Lorsqu'un animal sans nom propre cale dans la profondeur de son domaine, là où même les poissons n'osent pas s'aventurer, l'amphigouri les dissout comme du sucre dans l'eau.

— Nous ferons attention, promet un-3.

— Une dernière chose. Les chants disent encore que vous pourrez, si vous rencontrez l'amphigouri, lui poser une question, une seule, et que s'il accepte votre nom propre, il vous répondra.

Un-3 continue son travail en silence, puis elle se tourne vers le rat.

— Pourquoi ne viendrais-tu pas avec nous?

— Je suis trop attaché à mon petit carré de verdure. Je trouve le grand monde un peu trop aventureux à mon goût.

La cobaye le serre dans ses bras.

— En tout cas, mon ami, tu vas nous manquer.

Les cobayes embarquent et le berlingot quitte le rivage.

Le pierre garin les suit au vol.

Debout sur le bord de la pelouse, le rat salue de la main.

Les nomades le voient rentrer dans la mai-son, ressortir sur le toit et monter au sommet de la cheminée.

Avec une longue-vue, il regarde s'éloigner le berlingot.

3

Le barrage

Un-3, dont c'est le tour au gouvernail, garde la voile bien gonflée de vent.

— Il faut se diriger vers ce mont que tu vois de l'autre côté du Grand Lac, lui dit Pantoufle.

Le cobaye est assis devant elle avec une carte sur les genoux.

— Nous devrions aborder de l'autre côté au plus tard demain soir.

A midi, les cobayes mangent des graines de tournesol et du céleri. Le pierre garin pêche son repas.

L'après-midi s'écoule avec douze-25 au gouvernail et un-3 pour lui parler.

Dans la cabine, Pantoufle dort.

Comme un bébé dans sa couchette, les ondulations du berlingot le bercent au ronronnement uniforme d'une mouche bourdonnant monotonnement.

Le soleil chauffe la fourrure de la petite douze-25, assise confortablement, un coude sur la barre du gouvernail.

Un vent léger froisse l'eau et bombe la voile du berlingot.

La surface du Grand Lac est éclaboussée d'une poussière lumineuse.

Les vagues donnent de petits coups de langue mouillés sur la coque du voilier, lèchent le carton

sur toute sa longueur et traînaient derrière en un long sillon paresseux.

La petite douze-25 est fière de tenir la barre du gouvernail toute seule comme une grande.

La plus jeune des cobayes a beaucoup grandi.

Les autres lui font de plus en plus confiance.

Un-3, assise devant elle, regarde à l'autre bout du Grand Lac.

La-bas, un ensemble de tours se découpent sur l'horizon.

> — C'est le barrage hydro-électrique, dit-elle. Le rat me l'a montré sur la carte. L'eau y fait tourner les grandes turbines qui produisent l'électricité pour la ville.

Depuis un moment, douze-25 trouve le berlingot plus difficile à contrôler.« Si je demande à un-3 de m'aider, » songe la petite cobaye, « elle va dire que je suis trop bébé pour tenir la barre. »

Douze-25 ne veut pas donner l'impression qu'elle ne peut faire aussi bien que les autres.

Mais le berlingot tire de plus en plus vers le barrage.

— Lorsque j'aurai un nom, dit un-3, je m'appellerai Libre.

La cheffe a le regard lointain et rêveur.

— Dans le baril, l'animalier contrôlait tout. Il me donnait à manger, changeait mon eau et nettoyait mes déchets. J'étais comme un bébé, sans contrôle sur ma vie.

Un-3 reste un instant songeuse.

— Je n'étais pas libre. Il pouvait me vendre aux enfants ou au laboratoire, comme il voulait.

Douze-25 ne dirige plus le berlingot.

La petite cobaye a beau tirer sur la barre, le voilier pointe vers le barrage.

— Depuis que nous avons quitté le baril, continue un-3, j'ai pris le contrôle de ma vie.

La cheffe ne semble pas remarquer les difficultés de la pauvre douze-25.

— Comme si j'avais un nom propre, je suis maintenant la propriétaire de mon corps. Personne d'autre ne peut le toucher sans ma permission.

Un-3 jette un coup d'oeil vers douze-25.

La petite cobaye force contre la barre.

— Je vais où je veux. Je suis libre. D'accord, parfois je commets des erreurs. Mais je peux m'en sortir avec l'aide précieuse de mes amis.

La capitaine regarde la petite cobaye droit dans les yeux.

— Il suffit de leur demander de m'aider.

— Je n'arrive plus à contrôler le berlingot! gémit douze-25.

4

Les amis

Un-3 plonge sa main dans l'eau.

— Tu as bien fait de m'avertir. Nous sommes pris dans le courant des turbines. Il nous entraîne vers le barrage hydro-électrique!

Un-3 réveille Pantoufle.

— Viens, nous avons besoin de ton aide.

La capitaine détache les rames.

Le pierre garin, qui pêche non loin de là, s'est aperçu du changement dans l'orientation du berlingot.

— Le courant nous entraîne vers le barrage! lui crie un-3.

— Je vais aller chercher des amis!

Le pierre garin s'envole vers la terre.

Pantoufle sort de la cabine et frotte le sommeil de ses yeux.

— Amène la corde, lui dit un-3.

Bientôt le pierre garin est de retour avec un aigle pêcheur et deux canards sauvages.

La capitaine attache un bout de la corde à la base du mat et jette l'autre aux oiseaux.

— Hâlez fort!

Douze-25 dirige le gouvernail.

Le vent pousse la voile, un-3 et Pantoufle rament et les oiseaux tirent sur la corde.

Peu à peu, le berlingot s'arrache au courant, le dépasse et retrouve enfin sa liberté de mouvement.

— Merci les amis! lance douze-25.

Les oiseaux la saluent de l'aile et retournent à leur pêche.

Pantoufle se recouche et douze-25 continue son tour au gouvernail. Un-3 lui tient compagnie.

Au soir, les cobayes prennent un repas de graines de citrouille, de carottes et de chou-fleur.

Ensuite, Pantoufle s'installe à l'arrière, le bras sur la barre et douze-25 le tient réveillé.

Un-3 dort sur une pile de linge dans la cabine.

Le coassement des grenouilles autour du lac est ponctué du mugissement lourd des ouaouarons.

Au-dessus de leurs têtes, les étoiles remplissent le ciel et se reflètent dans l'eau sous le berlingot.

— Quelle pitié, soupire Pantoufle. Toutes ces milliards de gouttes d'eau sans nom propre. On dirait que l'on flotte sur un grand nom commun.

Lorsque le dernier quartier de lune se lève, il porte un collier de brume.

— Ce n'est pas bon signe, murmure Pantoufle.

A minuit, un-3 prend le gouvernail.

Pantoufle veille avec elle tandis que douze-25 se couche.

Les nuages ont couvert le ciel. On ne voit plus les étoiles.

— Le temps rafraîchit, note la capitaine.

Un vent nerveux plonge dans la voile, change d'idée et laisse pendre, ou encore pousse l'intérieur à l'extérieur.

Toute la nuit, un-3 doit lutter pour tenir le berlingot dans la bonne direction.

Le matin se réveille dans un ciel rouge.

Le pierre garin, qui a passé la nuit à terre, arrive ballotté par le vent.

Les ailes frémissantes, il maintient difficile-
ment sa position auprès du voilier.

— Vous allez devoir affronter du mauvais
temps! crie-t-il du haut des airs. Une
tempête s'en vient de l'est!

Une rafale de vent éloigne l'oiseau du berlingot, vers la terre.

Le temps brunit et devient sombre à mesure
que les nuages s'empilent dans le ciel.

Les vagues enflent et s'affilent contre le carton du berlingot.

Douze-25, réveillée par le roulis, sort le nez
de la cabine.

— Le temps se cochonne, lui dit un-3. Reste
à l'intérieur.

Comme elle parle, un drap de pluie s'abat sur
le Grand Lac et sème l'eau de pointes acérées.

— La voile! crie Pantoufle. Elle va se déchi-
rer!

Sur le mat, le foulard de soie rouge qui sert
de voile se démène dans tous les sens.

On dirait que le vent désire l'avoir pour lui tout seul.

5

L'amphigouri

Tandis que Pantoufle tient le gouvernail, Un-3 monte sur le toit de la cabine.

Ses pieds dérapent sur le carton humide.

Le vent tente de la souffler à l'eau.

Un bras autour du mat pour ne pas tomber, la capitaine parvient avec difficulté à détacher la voile, puis elle redescend près du gouvernail.

— Entre dans la cabine, dit-elle à Pantoufle. Je tiendrai la barre.

Pour empêcher l'eau de rentrer, elle couvre sa tête de la voile et en laisse tomber les pans autour de l'ouverture devant la cabine.

La pluie mitraille le carton ciré du berlingot.

Un éclair jette de côté les rideaux du firmament, puis les referme d'un claquement de tonnerre.

Les vagues deviennent des montagnes de cristal vert aux cimes neigeuses éclatées par le vent.

Des géants liquides s'élèvent devant un-3, se tiennent un instant en équilibre, puis s'abattent à plein ventre sur le berlingot, les bras ruisselant de chaque bord.

Le nez et les yeux sortis de sous la voile, la capitaine reçoit de grandes éclaboussures d'eau.

Le vent siffle à ses oreilles.

— Whhhiiiiiii! Whhhhhooooooooooo! Whhhhhhouououououououououou!

Les éclairs cassent l'obscurité; les tonneaux du tonnerre détonent en déboulant le long des nuages.

> — Le rat doit être bien nerveux à l'heure qu'il est, se dit un-3. Lui qui a si peur de l'électricité.

En effet, le rat n'est pas tranquille du tout.

Seul dans la grande maison, il tourne en rond, suit les couloirs, revient dans l'entremurs, ressort, grimpe les escaliers.

L'électricité dans l'air tire les étincelles des fils métalliques de son casque.

Le rat débouche sur le toit.

Au coeur de l'orage il escalade la cheminée.

Devant les rugissements de la bête électrique, entouré par les éclairs de sa colère, il hurle dans la tourmente:

> — Rage foudre! Râle tonnerre! JE SUIS PRISONNIER DE MA PEUR! Un long éclair crochu déchire le ciel et laisse paraître par sa fente l'éclat éblouissant de mille soleils.

Le rat plonge dans l'obscurité de la cheminée.

Pendant ce temps, un-3 grelotte sous la voile, trempée jusqu'à la chair.

Le berlingot pause un instant en équilibre sur la crête d'une vague haute comme une falaise et penche le nez vers l'abîme.

La cobaye retient sa respiration, regarde avec horreur le creux de la profonde vallée d'eau.

Le Grand Lac semble fendu en deux.

Lentement, le voilier se met à glisser, à descendre la pente.

Il paraît vouloir dévaler jusqu'à la terre au fond du Grand Lac et se planter le nez dans la boue.

Mais avant de toucher le fond, le berlingot se redresse entre les vagues.

Les paquets de mer se referment sur lui.

Pour un instant le voilier se retrouve comme un sous-marin entre deux eaux.

Un-3 ouvre les yeux.

Dessous, autour d'elle, au-dessus de sa tête, elle ne voit que de l'eau.

Des bulles d'air montent du vaisseau de carton.

Un nuage de perchaudes nagent autour du berlingot.

Un crapet-soleil, tout surpris de trouver à une telle profondeur un animal à poil, vient buter contre le nez de un-3.

Le voilier continue à descendre.

Au loin, à travers l'eau brumeuse, quelque chose approche.

On dirait un nuage vert, ou bleu foncé, ou encore turquoise.

« L'amphigouri! », songe un-3. « Va-t-il me dissoudre? »

L'être vaporeux entoure le berlingot.

Un-3 entend dans sa tête une voix douce et mélodieuse:

« Qui est-tu »?

« Je suis Libre. » répond la cobaye dans sa tête.

Cachés dans la cabine, Pantoufle et la petite douze-25 ont soin de ne pas bouger.

6

L'autre Bord

L'amphigouri enveloppe la cheffe de sa douceur, puis s'éloigne lentement.

Un-3 se rappelle ces paroles du rat:

— Les chants disent encore que vous pourrez, si vous rencontrez l'amphigouri, lui poser une question, une seule, et que s'il accepte votre nom propre, il vous répondra.

« Attendez! », appelle un-3 dans sa pensée. « Qu'est-ce qu'un nom propre? »

L'amphigouri s'immobilise.

Un-3 entend à nouveau la voix comme un parfum de fleurs dans son esprit.

« Le nom propre est un voilier sur un lac profond »

Le nuage s'éloigne, s'évapore dans l'eau.

La rencontre de l'amphigouri n'a duré qu'un instant.

Déjà le berlingot, soulevé par l'air emprisonné dans la cabine et sous la voile, commence à remonter vers la surface.

Lentement d'abord, puis de plus en plus vite, il s'élève. Juste comme Libre croit ne pouvoir tenir le souffle une seconde plus longtemps, sa tête crève la surface de l'eau.

La capitaine peut enfin avaler une immense gorgée d'air frais.

Douze-25 et Pantoufle écartent la voile.

— La cabine se remplit d'eau! tousse Pan-
    toufle. Nous coulons!

En effet, le berlingot s'enfonce lentement
sous leur poids.

Le vaisseau de carton penche, se couche dans
l'eau et flotte sur le côté.

La tempête s'est calmée. La pluie n'est plus
qu'une légère bruine.

La surface du Grand Lac berce le voilier
d'une lente houle.

Plongés dans l'eau jusqu'au menton, les cobayes se tiennent après le mat.

— L'amphigouri ne m'a pas dissoute et il a
    répondu à ma question! s'écrie un-3. Ce-
    la veut dire qu'il accepte mon nom pro-
    pre. J'ai un nom propre! Je suis Libre!

Douze-25 pousse un cri de frayeur.

Deux gros yeux globuleux entourés d'une
peau lisse et verte sortent de l'eau devant elle.

D'autres têtes aussi étranges émergent autour du voilier.

Une immense bouche s'ouvre et une voix caverneuse résonne:

— Bonjour! Nous sommes des ouaouarons. Tenez-vous après le voilier, nous allons vous pousser jusqu'à terre.

Les grenouilles géantes poussent le berlingot vers la rive. Le soleil perce à travers les nuages.

Les ouaouarons font pénétrer le berlingot dans un petit ruisseau ombragé par des saules aux feuilles jaunies par l'automne.

Bientôt, même douze-25 peut toucher le fond de ses courtes pattes.

Les nomades, alourdis par leur fourrure gorgée d'eau, peuvent enfin mettre le pied à terre et s'asseoir à sécher dans une clairière ensoleillée.

Le plus gros des ouaouarons s'approche d'un saut humide: plap!

— Nos cousins de l'autre rive du Grand Lac nous ont parlé de vous dans leurs chants. Vous êtes partis à la recherche des enfants?

— Nous cherchons l'amour et des noms propres, dit la petite douze-25.

— Malheureusement, mugit le ouaouaron, la plage où viennent se baigner les gens de la ville est fermée pour l'hiver. Les enfants sont retournés à l'école.

— Non! s'écrie la petite douze-25. Ce n'est pas juste! Nous avons fait tout ce voyage pour nous faire dire que les enfants sont partis pour l'hiver? Je ne veux pas! J'exige un enfant et tout de suite!

Libre et Pantoufle veulent apaiser la petite cobaye.

— Voyons, dit Libre. Nous sommes ensemble. Voilà ce qui est important.

— M'est égal, bougonne douze-25. Pantoufle a le nom propre que lui a donné Sophie. Tu as le nom propre accepté par l'amphigouri. Moi aussi je veux un nom propre bon!

Lorsque les cobayes parviennent enfin à calmer douze-25, le ouaouaron les amène voir un terrier creusé entre les racines d'un vieux bouleau.

— Il n'appartient à personne, dit le ouaouaron avant de se retirer. Ici vous serez au
chaud pour l'hiver.

7

Neige

L es nomades aménagent dans le terrier.

Après avoir mangé de la nourriture qu'ils ont amenés du berlingot, ils se couchent pour dormir.

Douze-25, épuisée par les épreuves de la journée, s'endort tout de suite.

Pantoufle et Libre jasent un peu dans la noirceur.

— A quoi penses-tu? demande Libre après un moment de silence.

— Oh, je songeais que l'automne durera encore un mois. Nous avons le temps de ramasser de la nourriture pour l'hiver.

— Tu ne veux plus rejoindre les enfants?

— Moi, tu sais, si je vous ai suivi, c'était dans l'espoir de retrouver Sophie. J'ai changé. Même si je la retrouvais un jour, je ne te quitterais pas. Je m'ennuierais trop. Je suis bien avec toi.

— Moi aussi je suis bien avec toi. Nous pourrions demeurer ensemble dans ce terrier.

— Et les enfants?

— Maintenant que je contrôle ma vie comme un voilier sur l'eau, j'ai un nom propre accepté par l'amphigouri. Je ne pourrais plus accepter d'avoir un maître.

— Bonne nuit, Libre.

— Bonne nuit, Pantoufle.

La journée du lendemain est superbe.

Un soleil de fête arrose le petit bois de lumière et les oiseaux hurlent de plaisir.

Libre et Pantoufle n'ont jamais vu une pareille splendeur.

Les branches des érables dégoûtent de couleurs. Leurs grands rameaux rouges, verts et orange lavent un ciel turquoise d'automne.

Les peupliers éclaboussent le petit bois de feuilles jaune-citron.

Les chênes pleuvent leurs gouttes de rouille sur le sol.

Main dans la main, les deux cobayes pataugent dans les flaques de couleurs. Shlish shlish shlish.

Quelques flocons de neige d'un nuage perdu tourbillonnent dans l'air.

De grand flots d'oiseaux jaillissent des arbres, dévalent au-dessus de leur tête et coulent en tourbillons noirs autour des buissons.

Très haut dans le ciel, un sillon d'oies sauvages ondule vers le sud.

Un écureuil argenté à la queue ondoyante arrête leur dire bonjour en passant, puis:

— Bon. Excusez-moi. J'ai encore des noisettes à rentrer pour l'hiver.

Douze-25 ne voit rien de tout cela.

Les yeux par terre, elle se promène entourée de solitude; elle a soif d'enfants, d'amour et de noms propres.

Non loin de là, sur le même sentier, un jeune garçon vient en sens inverse.

Une feuille d'érable rougie par l'automne tournoie dans sa main.

De ses rêves jaillissent des feuilles magiques et de petits animaux pleins d'amour pour les enfants.

Les deux êtres solitaires approchent, s'aperçoivent qu'ils ne sont plus seuls.

L'enfant se penche vers la petite nomade.

— Bonjour, salue douze-25 dans son langage de cobaye. Veux-tu être mon ami?

Pantoufle, non loin de là, veut courir la chercher, mais Libre tient le cobaye par le bras.

Le jeune garçon prend douze-25 dans ses mains et doucement la caresse.

— Je t'appellerai Neige, lui dit-il, car tu m'es venue avec les premiers flocons de l'hiver.

L'enfant s'éloigne avec la petite cobaye tout contre sa joue.

Cachés dans un buisson, Libre et Pantoufle sont un peu attristés par le départ de leur petite compagne, mais tellement heureux de son bonheur.

Par-dessus l'épaule du jeune garçon, Neige envoie un sourire et un salut de la main.

— Au revoir, mes amis! Soyez heureux!

TABLE DES MATIÈRES

Aux Éditions de la Paix

JEAN-PAUL TESSIER, ROMANS
La trilogie:
   FRANÇOIS le rêve suicidé (Tome I)
   FRANCIS l'âme prisonnière (Tome II)
   MICHEL le grand-père et l'enfant (Tome III)

Romans:
   Le Froid au Coeur
   Daniel Bédard
   (Prix Marie-Claire-Daveluy)

   Le Rideau de sa vie
   Hélène Desgranges

Aventures:
Les Nomades
   Le Grand Départ
   Gilles-A Pelletier

   L'Entremurs
   Gilles-A Pelletier

   La Forêt
   Gilles-A Pelletier

   La Traversée
   Gilles-A Pelletier

Technologie:
   Je construis mon violon
   François Trépanier.

 ACHEVÉ D'IMPRIMER
EN OCTOBRE 1989
SUR LES PRESSES DE
PAYETTE & SIMMS INC.
À SAINT-LAMBERT, P.Q.